DIEGO AGUADO

35 ETUDES

全音ギターエチュードシリーズ　5

アグアード
35のエチュード

大沢　一仁　編

zen-on music
全音楽譜出版社

CONTENTS

Dionisio・Aguado（ディオニシオ・アグアード〜1784－1849）は，18世紀の末から19世紀の前半にわたって，マドリードを中心に活躍したギター演奏家兼教育家で，特に教育的に価値多い作品を残していることで知られています。現在マドリード国立音楽院のギター科においても，アグアードは最も大切な課程の一つです。従来日本では，アグアードはむずかしいという観念から，ごく限られた練習曲しか演奏されていませんでしたが，現在の日本の水準からして，その観念は追放されてよい時期がきていると思います。その期におよんで，このたび，「**全音ギターエチュードシリーズ**」に，アグアードがとりあげられたことを，心よりよろこぶものであります。日本のギター教授家及び愛好家の皆さんが，本書によってアグアードを再認識され，斯界発展の一役を果してくださることを祈ってやみません。

●本書使用上の注意

❶ 本書はアグアードの重要な練習曲がほとんどおさめてあり，運指は主として現代ギター教授の最高峰，サインス・デ・ラ・マサ教授にしたがっています。

❷ 漸進的に編集してありますから順を追って練習すること。1番から15番までは初・中級者のために，16番からは上級者用の練習曲です。

❸ 各曲とも必ず暗譜でひけるまで練習してください。先に進みながらも，前の曲は更に常時くりかえし，練習して完全に自己のものとすること。

❹ 演奏上の注意は要点しか記してありませんから，教授にあたって，各先生方が更に補足されますようお願いいたします。

❺ 練習曲がひけずに，名曲を立派に演奏することは不可能であり，またあり得ないことを心に諳じてください。

大沢一仁

4

Vals ♩=108

No. 2

─── 解　説 ───
【No. 2】
● **演奏について**　付点音符の演奏に注意を要す。特に15小節目は三十二分音符と十六分音符の違いを明確にひくこと。
● **形式**　‖: A :‖，B（b＋b'）の二部形式。

No. 3

Andantino

【No. 3】

●**演奏について**　ギターの演奏でもっともたいせつな技術の一つ。二つの声部が動いている場合一方の音の長さを正確に押えていなければならない。（以下3曲とも同じ）

●**形式**　A，Bの二部形式。

Allegro Moderato

№ 4

──解　説──
【No. 4】
●**演奏について**　前の練習曲と注意は同じ。*p* の音量が強くなりがちであるから二声のバランスに注意されたい。
●**形式**　A，Bの二部形式。

N⁰ 5

─ 解　説 ─
【No. 5】
●演奏について　15小節目から特に各声部の保持に気をつけること。
●形式　　A，Bの二部形式。

N°. 6

─ 解　説 ─

【No. 6】

●演奏について　中音部は④弦を多く使用しているから p ではっきり演奏を要す。後半21小節目と22小節目の最高音はアポ
ヤンドで特に強く，音は伸びぎみでよい。後半，特に立体感を十分に出すこと。

●形式　A，B の二部形式。

No. 7

【No. 7】

●演奏について　下降と上昇が交互にでてくるレガートの練習曲である。特に11小節目では左手首は必要以上に前に出して

はいけない。右手の親指をネックの根もとにしっかりと固定するとレガートがやさしく，はっきりと演奏できる。

●形式　‖: A :‖ B（b＋b'）:‖ の二部形式。

Andante

─── 解　説 ───

【No. 8】

●**演奏について**　　上昇と下降モルデント（漣音）の練習曲である。モルデントの奏法は 1 の指での押弦をフレットの近くで

するほど出やすい。（上昇の場合）

　　下降の場合は 1 の指をしっかり押えておくこと。13 小節目からの三連音は同じ技術を明確にするために挿入されている。

p で弾弦すべきである。

●**形式**　　A，B の二部形式。

Allegro Moderato

Nº 9

─ 解　説 ─

【No. 9】

●**演奏について**　アラストレ（グリサンド）の練習曲であるからその美しさを強調したゆったりとした演奏をすること。

　ホ長調からのメロディーは浮きたたせること。

●**形式**　A（a＋a′），B（b＋b′），C（c＋c′＋d）の複合三部形式。

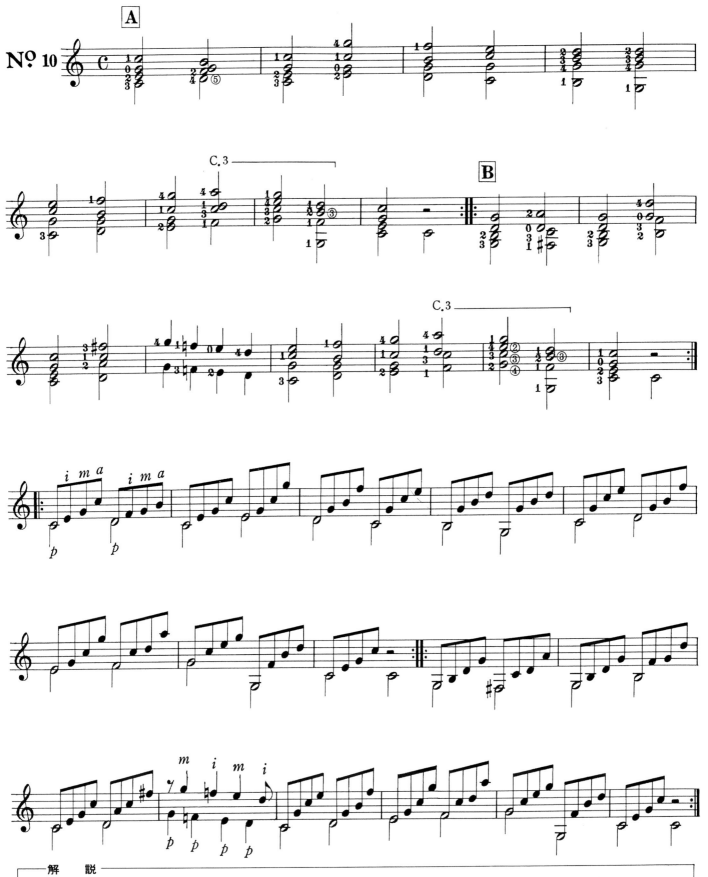

━━ 解　説 ━━

【No. 10】

● **演奏について**　最初に和音の練習をして運指を確認すること。右手の *p, i, m, a* 4指と左手の小指（前半）を伸ばすアルペ
　ジオの練習曲。はじめに *p* のみアクセントをつけて練習し、次は *i* のみに、以下各指とも同一の指のみアクセントをつけ
　て練習することが必要。各アルペジオの最後の音をひき終るまで左手は動かしてはいけない。

● **形式**　A，Bの二部形式。

Andante

№ 11

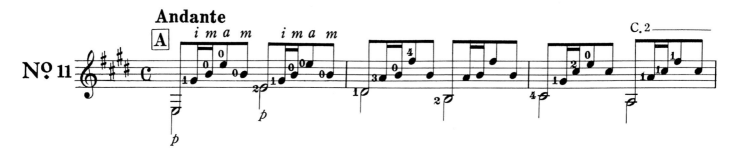

5

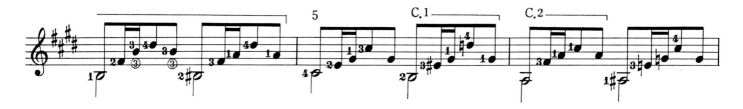

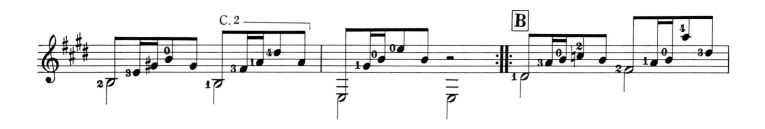

─ 解　説 ─

【No. 11】

●**演奏について**　バスを理由なく p でアポヤンドする人が多いが，これらの練習曲の場合の p は第一関接をまげて強くひか

なければならない。a にもアクセントをつける。5小節目の最初のド（4の指）は心の中で歌いながら二拍目のド（3の

指）を押えるときに離してもよい。最後の小節の前の小節の4拍目の4の指はむずかしく，左手に力が入りがちであるか

ら注意を要す。

●**形式**　A，Bの二部形式。

—— 解　説 ——
【No. 12】
●演奏について　pのひき方は前の曲と同じ。付点音符（低音部）の旋律と上声部の伴奏音のわりあいに注意を要す。

●形式　A，Bの二部形式。

Allegretto ♩＝108

№ 13

─── 解　説 ───

【No.13】

●演奏について　この練習曲はかなりむずかしいセーハをともなったアルペジオの練習曲である。第１小節の二拍目の低音
　ミはセーハをしながら⑥弦のみ１の指を離す。各音は明瞭なアル・アイレを用いる。３小節目の一拍目高音部のレは前小
　節の♯ドから３指をすべらせて押えておかないと届かない。

●形式　　A，Bの二部形式。

18

─ 解　説 ─

【No. 14】

● 演奏について　日本ではよく演奏されるアルペジオの練習曲。音符の粒をそろえることが特に大切。8小節目のF♯は初
　心者には困難を感ずるが，練習によって指が届くようになる。はじめはゆっくり各音に感情が入るようになってから順次
　速度を増す。右手に力が入ると決して速くひくことはできない。

● 形式　A，Bの二部形式。

─── 解　説 ───

【No. 15】

●演奏について　この練習曲を完全に暗譜してマスターしたならばギターの演奏の右手の秘密を自ら知ることができる。その場合右手首はほとんど動いてはならない。バスは十分に親指をまげて歌わせること。12，13小節のときの左手首は必要以上に動かないこと。

●形式　A，Bの二部形式。

── 解　説 ──

【No. 16】

●演奏について　はじめに右手は p，i のみで練習し，右手が自由にできるようになってから p，i，p，m の練習をされると

よい。機械的になりがちであるから発想記号を十分に生かした演奏をされたい。

●形式　A，Bの二部形式。

―― 解　説 ――

【No. 17】

●演奏について　この曲はレガートをともなった左手の３，４指と左手 p , i , m 各指の練習曲である低音部と上声部のバランスを考え，粗雑にならないように特に p の扱いに注意を要す。

●形式　Ａ，Ｂの二部形式。

── 解　説 ──────────────────

【No. 18】

●**演奏について**　　この曲は左手の3と4指のための練習曲である。　はじめはリガートとグリサンド記号は全部はずし，旋律が十分に耳に入ってからその練習をするとよい。

●**形式**　　A，Bの二部形式。

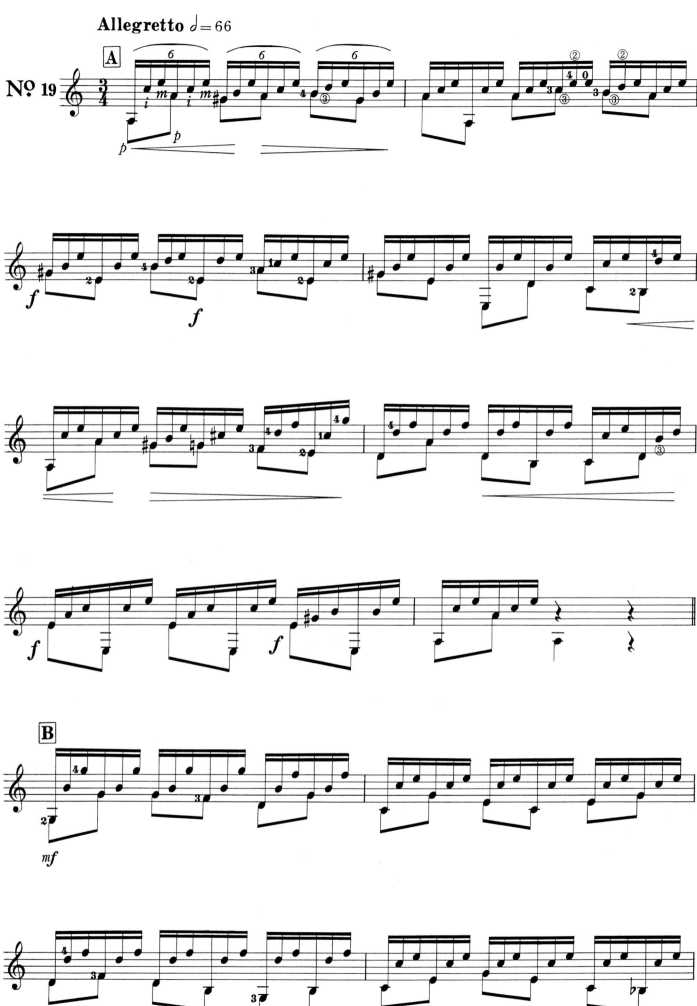

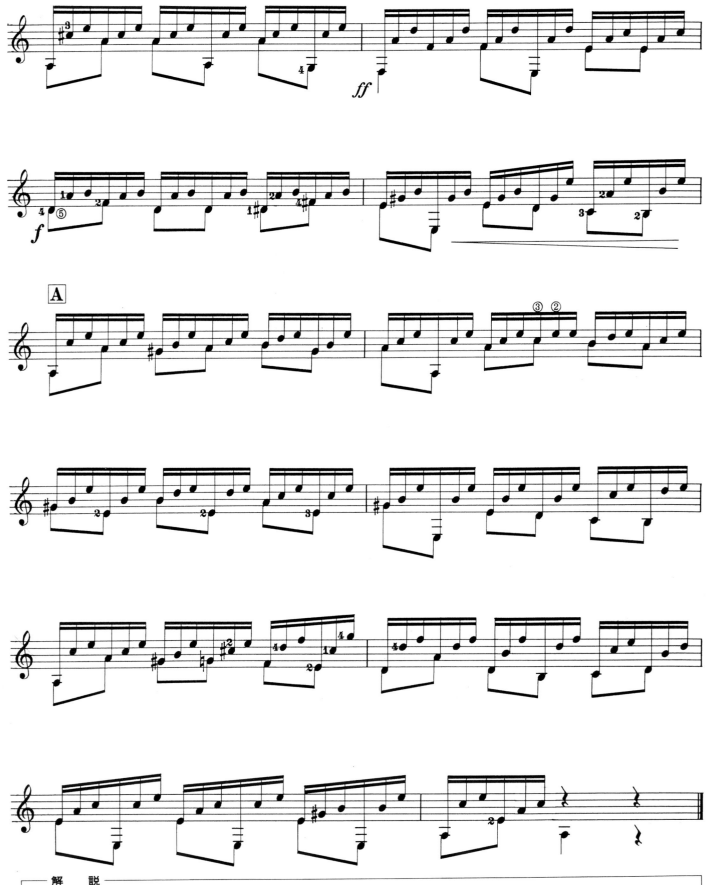

―― 解　説 ――

【No. 19】

● **演奏について**　ポジションの移動する場合以外は左手首は必要以上には動かしてはならない。各和音の最終音をはっきり
とひき終ってから次に移ること。アルペジオでもっとも大切なことは一音ずつ明瞭にひくことである。早くひくことだけ
がアルペジオの練習ではない。

● **形式**　Ａ，Ｂ，Ａの三部形式。

― 解　説 ―
【No.20】
●**演奏について**　前のアルペジオが *p*，*i*，*m* 3指の練習に対して，この曲は *p*，*i*，*m*，*a* 4指のためのアルペジオ練習曲である。特に *a* 指の練習に十分気をつけられたい。低音の伸びを保持すること。きわめて有益なアルペジオ練習の一つ。

●**形式**　A，Bの二部形式。

──── 解　説 ────

【No. 21】

●**演奏について**　各小節とも中音部の最終音を完全にひいてから次の小節に移ること。a指の旋律を十分に歌わせるととも
に低音部のpはとび出したような音にならないよう調節すること。最後から4小節はむずかしいから反射的に和音がつか
めるまで練習されたい。

●**形式**　A（a＋b），B（c＋d＋e）の複合二部形式。

No. 22

── 解　説 ──
【No. 22】
●演奏について　この曲をアレグロでひくことはきわめて困難であるから，はじめは倍のテンポにおとして練習し，順次速
　　度を増せば不可能でない。注意は前の曲と同じ。

●形式　　A，Bの二部形式。

【No. 23】

● 演奏について　pは第一関接をまげたアル・アイレ。2小節目の二重付点音符の演奏に注意。後半（B）はセーハが多く
　かなりむずかしいから十分な練習を要す。

● 形式　A，B，Aの三部形式。

Andante maestoso

Nº 24

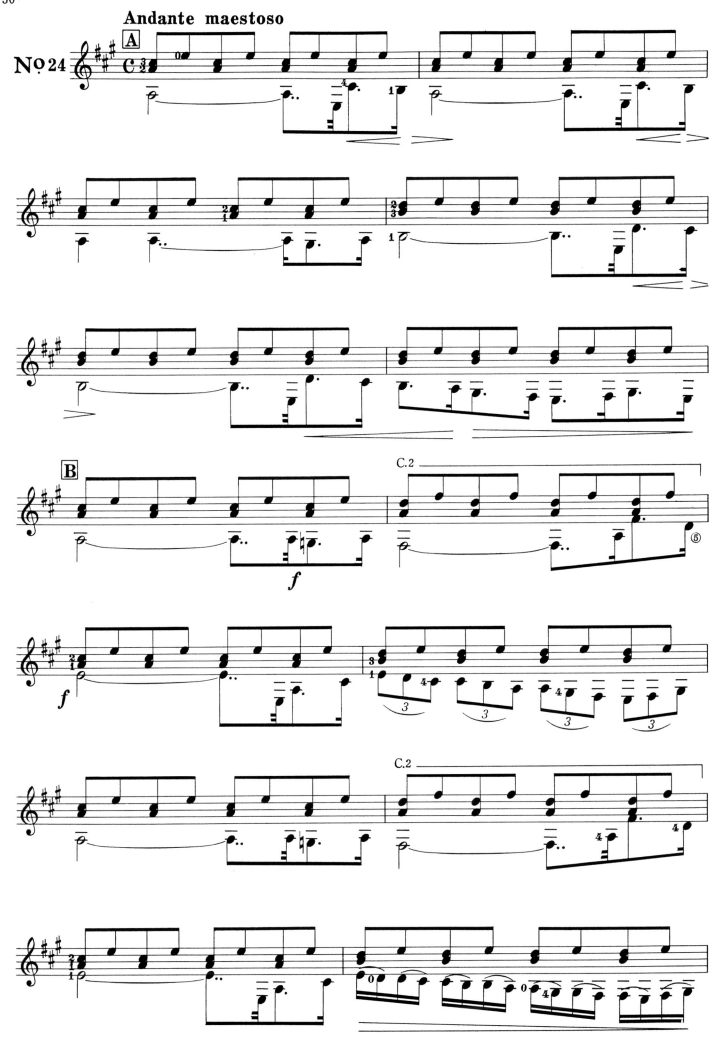

━━ 解　説 ━━

【No.24】

● **演奏について**　低音部 *p* の複雑な演奏によって上声部（伴奏）をへいたんに演奏することはかなりむずかしい。特に10小
　節目のテンポが乱れないようにメトロノームを使用して練習するとよい。

● **形式**　A，B，C，Coda の三部形式。

── 解　説 ──
【No.25】
●演奏について　和音から音階，そして和音に移る練習曲で六連符は急速な演奏を要す。後半のレガートは明瞭に出すこと。

鮮やかな演奏をしてほしい。例2は更に有益な練習となる。

●形式　A，Bの二部形式。

Allegretto

№ 26

── 解　説 ──────
【No.26】
●演奏について　三十二分音符のところを明確にひくためには，はじめから早いテンポで練習すると，労多くして益少ない。
故に倍以上のテンポに伸して練習をはじめてください。∧印は消音する印。
●形式　A，B，A の三部形式。

34

Allegretto ♩=66

№27

──── 解　説 ────
【No. 27】
● 演奏について　この練習曲はきわめて重要であるが，よい演奏をするには相当の練習を要する。すべてのレガートが全部
はっきり出なければ練習にならない。
● 形式　A（a＋a′），B（b＋b′）の複合三部形式。

─── 解　説 ───

【No.28】

●演奏について　中音部は指定された *i, m, i* でむずかしい場合は *i* のみで演奏してもよい。Cantabile であるから旋律を
じゅうにぶんに歌わせてください。

●形式　A（a＋a′），B（b＋b′）の複合二部形式。

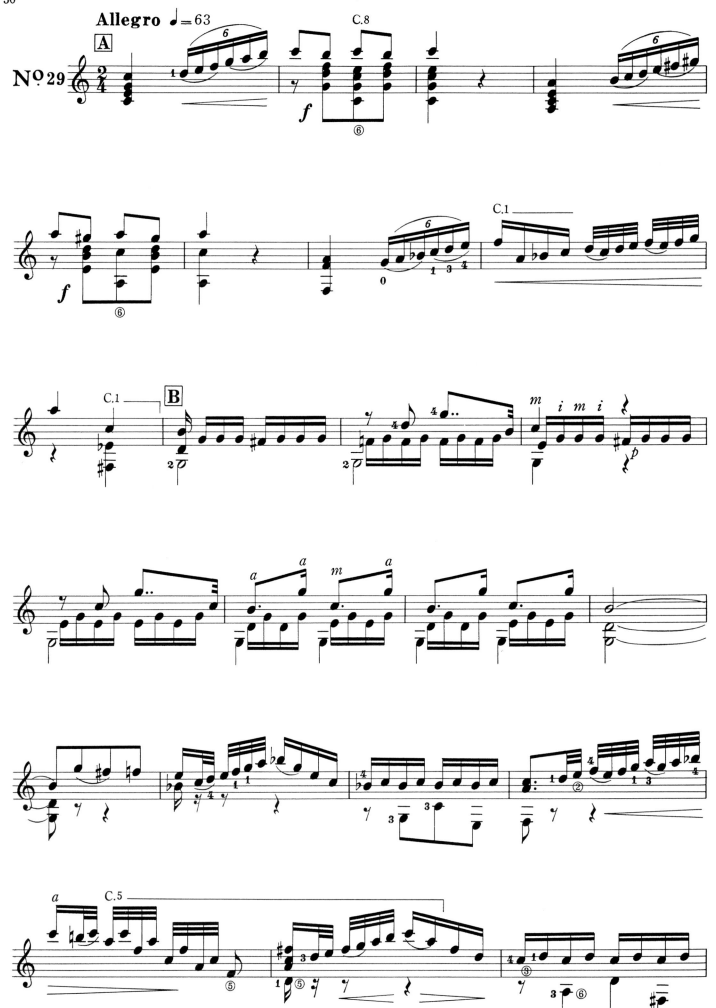

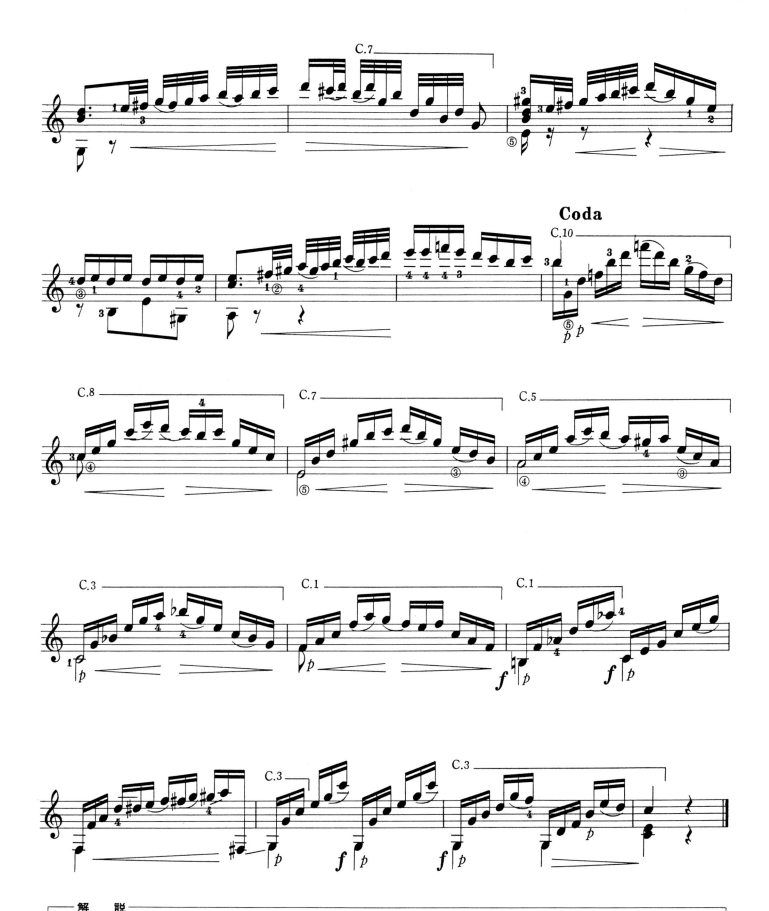

Coda

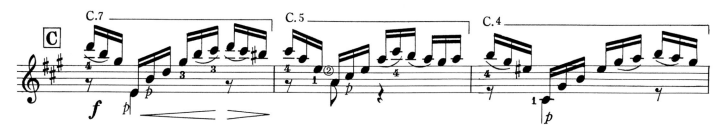

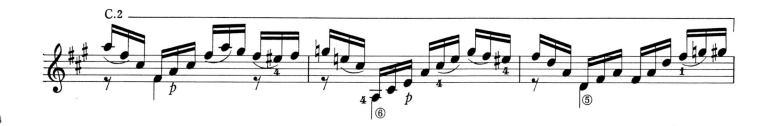

Coda

解　説

【No. 30】

●**演奏について**　はじめは25番とにている。中間部の装飾音をともなった十六分音符を明確に演奏されたい。

●**形式**　A，B，C，Codaの三部形式。

Allegro ♩=132

№31

解　説

【No. 32】

●演奏について　指定された低音部の右手指の運指のほかに全部 *p* で低音部をひく練習もされたい。付点音符を十分に生か

した演奏をしてほしい。

●形式　A，Bの二部形式。

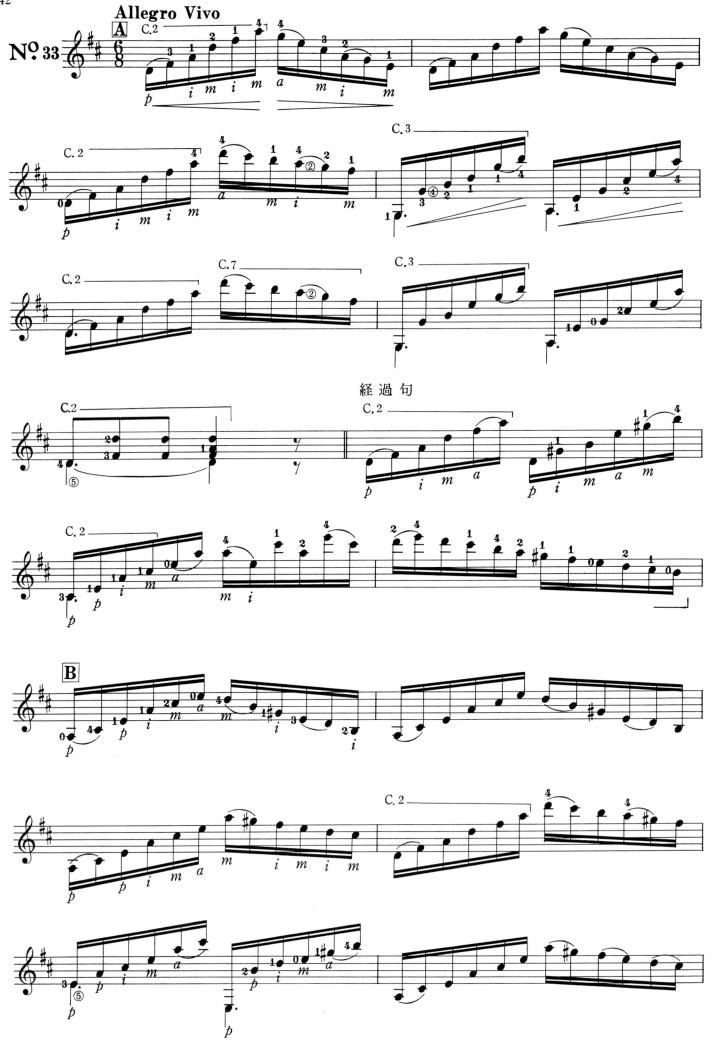

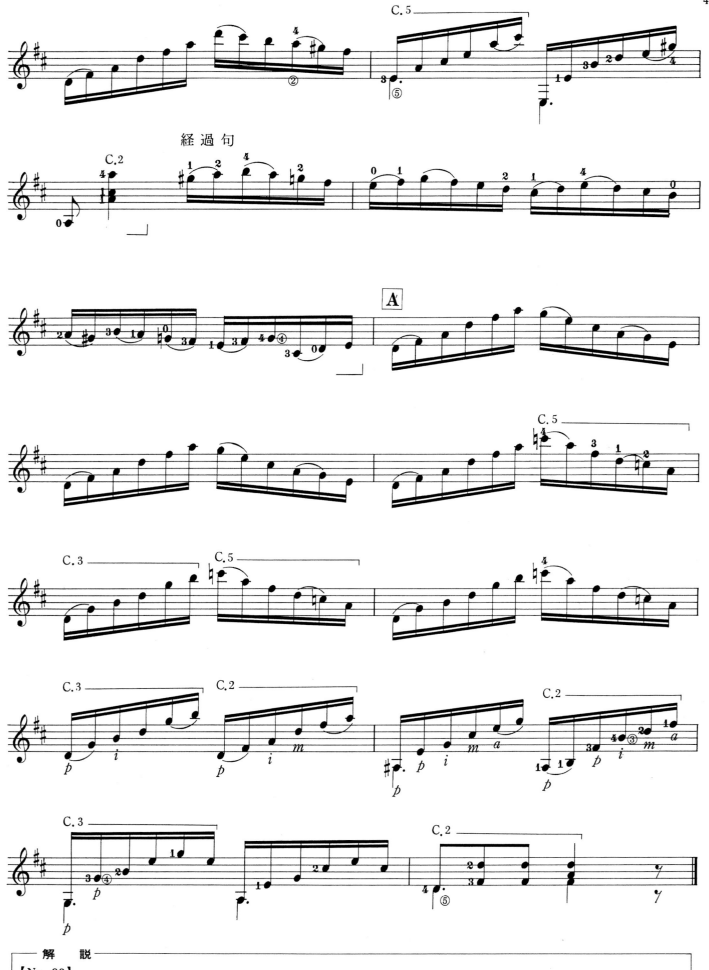

経過句

A'

─── 解　説 ───

【No. 33】

●演奏について　左手のための練習曲。粒のそろったなめらかな演奏をされたい。

●形式　A（経過句），B（経過句），A'の三部形式。

Coda

—— 解 説 ——

【No. 35】

● 演奏について　この曲はアグアードの練習曲中もっとも技術的にも高く，これを正確に美しく演奏することは非常にむず

かしいが，ここまで練習してきた人ならさほどの困難は感じないと思う。また，発想記号にも十分注意されたい。

　形式　A（a＋a′），B（b＋b′），C（c＋c′），Coda の複合三部形式。

● 著者紹介

大沢 一仁

東京都練馬区練馬 1 − 8 − 4

● 著者略歴

大正14年11月22日東京生
マドリード国立音楽院ギター科卒業。
スペイン留学中。アンドレス・セゴビア。
サインス・デ・ラ・マサ・ホセ・ルイスの各
氏にギターを師事。
スペイン各地でテレビ，放送，リサイタルに
出演。
昭和37年末帰国。
日本人で最初のスペイン政府公認ギター教授
として本格的な教授と演奏で活躍している。

● 主な著書

ギター音楽講座
アグアード35のエチュード

● 一流ギタリストによる

本格的 ギターエチュード シリーズ

● 菊倍判

ギターを学ぶ過程において、基礎的な技巧および音楽性を養なうことは不可欠の条件です。
このシリーズは、初級から中級、上級にいたるすべての学習者がより合理的に実力がつけられるように編さんしたものです。
全国の教授所で副教材としてもっとも多く使われていますが、独習されている方がたもそれぞれの技術的過程に合わせて選び、漸進的に修得されていくことをおすすめします。

アグアード35のエチュード　　　　　　　　●

編著者 ──────── 大沢一仁

発行 ──── 株式会社全音楽譜出版社
──── 東京都新宿区上落合2丁目13番3号〒161-0034
──── TEL・営業部03・3227-6270
────　　　出版部03・3227-6280
──── URL　http://www.zen-on.co.jp/
──── ISBN978-4-11-238050-2